손 끝으로 느끼는

백제의 숨결 1권

JN370146

baekjemuseum.seoul.go.kr

발간등록번호 51-6113103-000004-01

ISBN 978-89-969903-2-1

© 한성백제박물관 2013

이 책의 저작권 및 법적 권리는 한성백제박물관에 있습니다.

이 책에 실린 글과 사진을 이용할 경우에는
한성백제박물관의 동의를 받아야 합니다.

Copyright©Seoul Baekje Museum

인사말

안녕하십니까. 서울시장 박원순입니다. 우리의 수도 서울은 2천 년 전 백제의 첫 도읍으로서 5백년간 <고대왕국, 백제>가 번성한 곳입니다. 그래서 풍납토성, 몽촌토성, 석촌동고분군 등 빛나는 문화유산을 많이 품고 있습니다. 그 역사와 문화를 늦었지만 잘 보존하고 보다 잘 후손에게 전승하기 위하여 우리 서울시는 지난 2012년 4월 30일 한성백제박물관을 개관했습니다.

한성백제박물관에서 각종 전시물을 통해 만나는 백제는 다양한 사람들이 어우러지며 국력을 키우고 기술과 문화를 발전시킨 멋지고 역동적인 나라입니다. 부여, 고구려, 낙랑, 대방, 마한, 왜 등 여러 지역과 나라를 떠나 백제 땅에 들어온 사람들이 백제라는 하나의 깃발 아래에서 같은 꿈을 꾸며 함께 어우러졌던 것입니다.

그동안 우리의 박물관은 눈으로 감상하는 방법에만 익숙했습니다. 그러나 서울시는 우리가 살아가는 도시 자체를 역사가 살아 숨 쉬는 박물관으로 만들고자 다양한 방법으로 노력하고 있습니다. 그리고 그 기초가 되는 조건은 누구라도 이러한 박물관을, 서울을 누릴 수 있어야 한다는 점입니다. 몸이 불편하신 분들도 다양한 방법으로 서울의 역사를 느끼고 즐길 수 있어야 합니다. 그것이 더 많은 분께 새로운 의미의 힘이 될 것입니다.

이를 위해 한성백제박물관에서는 이번에 촉각도록을 만들었습니다. 국내 시각장애인 24만 명이 서울의 고대 역사·문화를 즐기는 작은 기회가 되었으면 좋겠습니다. 그리고 이 촉각도록이 「함께 만드는 서울」, 「함께 누리는 서울」의 문화 복지 확대의 작지만 큰 시작이 되기를 희망합니다.

2013. 2.

서울특별시장 **박원순**

발간사

한성백제박물관은 서울이 삼국시대 백제역사 678년 중 493년 동안 수도였음을 기억하고 배우고자 설립한 박물관입니다. 그래서 백제 궁궐이 있었던 풍납토성과 몽촌토성, 왕과 귀족들의 무덤이 즐비했던 석촌동고분군을 중심으로 백제의 왕도역사를 소개하고 서울과 한강유역의 선사~고대 문화를 쉽고 재미있게 설명하고 있습니다.

한성백제박물관 로비의 한쪽 벽면에는 거대한 풍납토성 성벽 일부를 그대로 옮겨 놓았습니다. 제1전시실에서는 서울의 구석기시대부터 청동기시대까지 각종 유적과 유물을 모형, 그림과 함께 소개하고 있습니다. 제2전시실은 백제 한성도읍기의 역사·문화를 주제별로 다루었습니다. 왕도 한성의 풍경을 옛 지형에 맞춰 축소모형으로 복원하였으며, 왕실의 동명사당 일부를 실물 크기로 만들어 만져볼 수 있게 했습니다. 백제사람의 집안 생활모습과 외국을 오가던 백제 배도 전문가의 엄격한 고증을 거쳐 실제 크기대로 재현하였습니다. 제3전시실에는 백제의 웅진·사비 도읍시대의 유물과 같은 시기에 서울을 차지한 고구려, 신라의 유물을 전시하였습니다.

한성백제박물관에서는 시각장애인의 박물관 전시감상을 위해 음성안내시스템을 서비스하고 있습니다. 그리고 이번에는 촉감으로 전시내용을 설명하는 촉각도록과 팝업카드를 만들었습니다. 모두 한성백제박물관에서 전시하는 백제의 대표 유물과 그에 얽힌 이야기들을 담았습니다. 아무쪼록 이 책이 서울의 백제유적과 그 의미를 서울 시민과 모든 국민에게 고루 알리는 계기가 되길 바라며, 문화복지 확장을 위해 애쓰는 직원 여러분께 감사드립니다.

2013. 2.

한성백제박물관장 **이인숙**

백제의 숨결

2천년 고도 서울

풍납토성 성벽	03
한성의 풍경	05
동명사당	07
백제 배	09
칠지도	11
원통모양 그릇받침	13
세발토기	15
굽다리접시	17
기둥장식	19
막새기와	21
토관	23
역사 속 라이벌	25

풍납토성 성벽

한성백제박물관은 로비의 한쪽 벽면에 백제 초기 왕성인 풍납토성의 성벽 토층 자른 면을 전시하고 있다. 현재 남아있는 성벽(아랫변 43m)을 그대로 잘라 옮겨온 부분과 추정 복원한 원래의 성벽(윗변 13m, 높이 11m)을 합한 것이다. 마주 보았을 때 왼쪽이 성벽의 안쪽이고 오른쪽이 바깥쪽이다. 성 바깥쪽에는 해자가 있었을 것이다.

성벽은 3차례에 걸쳐 덧쌓았는데, 주로 안쪽으로만 덧쌓고 바깥쪽은 무너진 곳을 부분적으로 수리하였다. 성벽 안팎에는 세월이 지나 성벽이 무너지면서 위에서 흘러내린 흙이 쌓인 곳도 있다. 이것을 교란층이라고 한다. 성벽이 무너지면서 없어진 부분의 원래 모습을 추정해서 만든 부분은 복원층이라고 부른다. 맨 아래쪽의 흙 색깔이 다른 부분은 사람 손길이 닿지 않은 생토층이다.

한성의 풍경

한성은 백제 초기의 왕도 이름으로서, 한강 남쪽의 위례성이 커진 것이다. 한성은 궁궐이 있는 북성과 별궁이 있는 남성 등 2개의 토성으로 이루어졌다. 북성을 오늘날 풍납토성이라고 부르고, 남성을 오늘날 몽촌토성이라고 부른다. 하늘에서 내려다보면 풍납토성은 옛날 배처럼 생겼으며 몽촌토성은 들쭉날쭉 울퉁불퉁한 마름모꼴이다. 한성은 북쪽과 서쪽에 한강이 흐르고 동쪽에는 남한산이 솟아 있으며, 남쪽으로는 평야가 드넓게 펼쳐져 있어 사람들이 살기에 좋다.

한성에는 궁궐과 관청, 귀족들의 집, 일반 민가, 수공업 공장, 군사시설 등이 있었다. 성 바깥에도 도로, 나루터, 집, 논밭 등 각종 시설이 있었으며, 남쪽 평야의 야트막한 언덕과 강변에는 왕·귀족 뿐 아니라 백제의 일반 백성까지 묻힌 무덤이 즐비하였다. 백제 때의 무덤은 오늘날 일부만 남아있는데, 석촌동 고분군, 가락동 고분군이라고 부른다.

동명사당

풍납토성 내부 한가운데에서 ‘呂’자처럼 생긴 건물터가 발견되었다. 앞의 작은 건물에 입구가 있으며, 뒤쪽의 큰 건물과는 좁은 통로로 이어진다. 뒤 건물은 너비 16m, 길이 18m 이상인데, 아직 건물 끝부분을 확인하지 못해 얼마나 큰지는 알 수 없다.

이 건물터에서는 유물이 거의 발견되지 않았지만, 학자들은 건물의 특이한 모습과 주변 환경에 비추어 특별한 용도의 공공시설, 특히 국가나 왕실이 주관하는 대규모 제사를 지낸 곳으로 추정한다. 「삼국사기」에는 백제 왕들이 해마다 동명사당에서 부여계의 시조인 동명에게 제사를 지냈다는 기록이 있는데, 이곳이 바로 동명사당일 수 있다.

백제 배

사진 속의 배는 백제 사신이 외교활동을 위해 외국으로 다닐 때 타던 배를 추정 복원한 것이다. 배의 길이는 12.6m, 너비 4.5m이며, 배 밑바닥은 평평하다. 갑판 위에는 돛, 노, 선실이 있고 갑판 아래에는 선실, 주방, 짐칸이 있다. 배의 방향과 속도를 조절하는 돛은 하나이고, 항구에 도착해서 배를 정박할 때 물 속으로 내리는 닻은 돌을 사용하였다.

백제 때는 항해기술이 발달하지 않아 배는 먼 바다로 나가지 못하고 해안을 오가거나 해류를 이용해 중국과 일본으로 다녔다. 그렇기 때문에 중국을 오가는데 6개월이라는 긴 시간이 걸리기도 했다.

옆면 **앞면**

칠지도는 백제왕이 왜왕에게 선물로 준 칼이다. 칼의 형태는 마치 나무처럼 칼 몸통의 양쪽에 각각 세 개의 가지가 뻗어 나와 있는 특이한 모습이다. 몸통 양쪽의 평평한 면에는 금실로 한자 60여자를 상감기법으로 새겼는데 글 중에 칠지도라는 이름이 나온다. 철에 홈을 파고 금실이나 은실을 넣은 뒤 두드리고 숫돌로 갈아 다듬는 방법을 상감기법이라고 한다. 칼의 앞면에 새긴 글자는 「태○ 4년 5월 16일 병오 한낮에 백 번이나 단련한 강철로 칠지도를 만들었으며, 이 칼로 온갖 적을 물리칠 수 있으니, 제후국의 왕에게 나누어 줄 만하다」는 뜻이며, 뒷면에 새긴 글자는 「지금까지 이런 칼이 없었는데, 백제왕세자 기가 성스러운 말씀을 내었으므로 왜왕 지를 위해 만들었으니 후세에 전하여 보이라」는 내용이다.

칠지도

앞면 **옆면**

재료 철

길이 74.9cm

보관장소 일본 나라현 이소노카미신궁(石上神宮)

그릇 받침은 제사나 각종 의례에서 사용하였다. 모양은 원통형, 굽다리 접시형 등이 있다. 사진속의 그릇받침은 원통형으로서 몸통이 원기둥처럼 생겼으며 바닥에서 위로 올라갈수록 조금씩 좁아진다. 위쪽은 다른 그릇을 얹을 수 있도록 접시처럼 만들어 마치 활짝 핀 나팔꽃을 떠올리게 한다. 몸통에는 대나무 마디처럼 생긴 넓은 띠 3개를 일정 간격으로 돌려 몸통을 4단으로 구획하였다. 돋을 띠 사이의 원형 몸통에는 지름 1cm 안팎의 동그란 구멍을 뚫어 장식하였다. 그릇받침은 신분이 높은 사람들만 사용하였다.

원통모양 그릇받침

옆면

윗면

재료 흙

높이 54cm

출토장소 풍납토성

세발토기란 세 개의 발이 달린 토기를 말한다. 그릇모양은 둥근 접시나 항아리 모양이다. 아가리에 턱이 있어서 뚜껑을 얹을 수 있게 한 것도 있다. 세발토기는 고구려, 신라, 가야 등에서는 거의 만들지 않았으므로 백제를 상징하는 토기이다. 사진 속의 세발토기는 둥근 접시 아래에 세 개의 발이 달렸다. 아가리에는 뚜껑을 얹을 수 있도록 뚜껑받침턱이 있다. 이런 모양의 세발토기는 제사를 비롯한 의례 때 음식을 담는 그릇이었다. 원래 세발그릇은 중국에서 유행하였으며, 백제가 중국 영향을 받아 토기로 만든 것으로 추정한다.

세발토기

옆면

윗면

재료 흙

높이 6.7cm

출토장소 풍납토성

굽다리접시는 각종 의례에 사용한 그릇으로서, 오늘날 제사지낼 때 쓰는 제기와 비슷하다. 백제, 신라, 가야 모두 많이 만들었는데, 각 나라마다 그릇모양이 조금씩 달랐다. 특히 굽다리의 모양이 나라마다 달라서 백제 굽다리접시는 굽이 낮고 신라·가야처럼 굽에 구멍을 뚫지 않은 것이 특징이다. 사진 속 굽다리접시는 둥근바닥 접시에 사다리꼴 굽이 붙어 있다. 접시의 아가리 아래에는 뚜껑을 얹을 수 있는 뚜껑받이 턱이 튀어나와 있다.

굽다리접시

옆면 **윗면**

재료 흙

높이 7.1cm

출토장소 풍납토성

기둥장식은 건물 나무기둥의 아랫부분을 감싸서 나무기둥을 고정시키는 지지대 역할을 했다. 나무기둥 밑에 놓여서 기둥을 받치는 초석과는 다른 것이다. 사진 속 기둥장식은 흙을 구워 벽돌처럼 만든 장식의 일부만 남은 것이다. 가운데는 나무기둥을 끼울 수 있도록 둥글게 만들었으며 바깥쪽은 8각, 9각, 10각, 타원형 등 모습이 다양하다. 윗면과 아랫면은 평평하며, 윗면보다 아랫면이 더 넓다. 지금까지 출토된 기둥장식은 모두 1/3 또는 1/2로 깨진 모습이다. 그래서 원래부터 완전히 둥근 모습이 아니라 절반씩 만든 뒤 두 개를 붙여 사용했다고 보기도 한다. 습기가 많은 여름에는 나무가 부풀고 습기가 없는 겨울에는 나무가 줄어들기 때문이다.

기둥장식

윗면

옆면

재료 흙

길이 34.4cm

출토장소 풍납토성

건물의 지붕을 덮는 기와로는 암키와·수키와, 암막새·수막새 등이 있다. 백제 사람들도 궁궐·관청·사원 등 신분이 높은 사람들이 머무는 건물 지붕에는 기와를 얹었는데, 낮은 온도에서 흙을 구워 만들었다.

수막새는 지붕의 처마 끝에 놓여 나무 서까래가 썩지 않게 하고 건물의 겉모양을 멋지게 만드는 장식 기와이다. 앞 쪽은 둥글며 뒤쪽은 수키와처럼 긴 반원형이다. 둥근 앞부분에는 풀꽃무늬(초화문), 수레바퀴무늬, 도깨비무늬, 엽전무늬, 원무늬, 마름모무늬, 연꽃무늬 등 여러 가지 무늬가 새겨져 있다.

막새기와

옆면

수레바퀴무늬

풀꽃무늬

동물얼굴무늬

재료	흙
너비	14~15cm, 두께 1cm내외
출토장소	풍납토성

흙으로 만든 원통형 파이프의 하나로서 백제 한성사람들이 수도관이나 하수도관으로 사용한 듯하다. 백제 왕성이었던 풍납토성에서 작은 것과 큰 것 여러 개가 출토되었는데, 한쪽 끝이 치약튜브의 입구처럼 튀어나와 다른 관에 끼울 수 있어서 여러 개를 연결해 땅에 묻어 사용했음을 알 수 있다. 궁궐 등에서 토관을 사용할 정도로 백제 한성의 도시환경이 매우 위생적이고 계획적이었음을 알려준다.

토관

옆면

윗면

재료 흙

길이 14~17cm, 직경 5~6cm, 구멍 직경 2cm 안팎

출토장소 풍납토성

역사 속 라이벌

1라운드 : 근초고왕 VS 고국원왕

삼국시대의 대표적인 라이벌은 백제의 근초고왕과 고구려의 고국원왕이다.

4세기 초 고구려가 낙랑·대방군을 정복하고 영토를 남쪽으로 확장하면서 남쪽에 있던 백제와 자주 싸우게 되었다. 먼저 공격한 쪽은 고국원왕이 이끄는 고구려군 이었다. 369년에 고국원왕이 군사 2만명을 이끌고 백제의 치양(지금의 황해도 배천)을 공격했다가 근초고왕의 태자 근구수가 이끄는 백제군에게 크게 져서 5천명이 죽거나 사로잡혔다. 2년 뒤인 371년에 고구려의 고국원왕이 다시 백제를 침입하였지만, 패수 강변에 매복하고 있던 백제 근초고왕의 군대에게 또 패배하였다. 같은 해(371년) 겨울에는 백제의 근초고왕이 태자와 함께 군사 3만명을 이끌고 고구려 평양성을 공격하였다. 이 싸움에서 성 안에 있던 고국원왕이 백제군이 쏜 화살에 맞아 죽은 일이 일어났으며, 고구려와의 경쟁에서 이긴 백제가 삼국 중 가장 먼저 전성기를 누렸다.

2라운드 : 개로왕 VS 장수왕

백제의 개로왕과 고구려의 장수왕도 유명한 라이벌이다. 5세기 초반 백제는 고구려에게 북쪽의 많은 영토를 빼앗겼다. 백제 개로왕은 고구려에 대항하기 위해 안으로는 국경에 성을 쌓거나 수리하였고, 밖으로는 신라·왜·송·북위·물길 등과 외교관계를 긴밀하게 맺었다. 이 때 고구려가 천하의 중심이라고 믿고 있던 장수왕은 이를 인정하지 않는 백제 개로왕을 매우 미워하였다. 472년에 개로왕은 북위로 국서를 보내 고구려를 공격해달라고 요청하였지만, 뜻을 이루지 못했다. 이 소식을 들은 장수왕은 화가 나 백제를 공격하기로 마음먹고 개로왕이 바둑을 매우 좋아한다는 것을 알고 바둑을 잘 두는 승려 도림을 백제에 첩자로 파견하였다. 도림은 개로왕에게 접근하여 바둑을 두면서 왕의 신임을 얻었다. 그리고 개로왕에게 나라가 융성하니 왕의 위엄을 보이기 위해 조상들의 무덤을 다시 쌓고 도성과 궁궐도 더 크게 짓자고 설득하였다. 꾐에 빠진 개로왕이 도림의 말에 따라 많은 백성을 동원해 성벽을 다시 쌓는 등 토목공사를 크게 벌여, 점차 재정이 줄어들고 백성들이 피곤해하는 등 국력이 쇠퇴하였다. 475년, 마침내 고구려의 장수왕이 3만 군사를 이끌고 백제의 왕도 한성을 공격해 빼앗고 개로왕을 잡아 죽였다. 백제는 신라에 구원을 요청했지만, 구원군이 도착하기도 전에 한성이 함락되고 개로왕은 고구려군에게 사로잡힌 뒤 아차산 아래에서 죽임을 당하였다. 이에 백제는 수도를 웅진(충남 공주)으로 옮기지 않을 수 없었다.

3라운드 : 성왕 VS 진흥왕

백제 성왕과 신라 진흥왕도 역사의 라이벌이다. 웅진(충남 공주)에서 즉위한 성왕은 538년에 사비(충남 부여)로 도읍을 옮겼다. 위축되었던 국력을 어느 정도 회복하자 외교, 경제, 교통, 문화적으로 유리한 지역으로 도읍을 옮겨서 새로운 도시를 만들려 한 것이다. 뛰어난 전략가인 성왕은 남쪽으로 영토를 확장하려는 고구려에 대항하기 위해 신라와 동맹을 맺었다. 그리고 551년에 신라와 함께 고구려를 공격해서 한강유역을 되찾은 뒤 상류지역은 신라, 하류지역은 백제가 각각 나눠가졌다. 그러나 20세의 젊은 임금인 신라 진흥왕은 중국으로 가는 교통의 중심지이자 땅이 기름진 한강유역 전체를 신라가 차지한다면 백제, 고구려를 능가하는 강국이 될 수 있다고 생각하였다. 그래서 553년 동맹을 깨고 백제를 공격해 한강을 모두 차지하였다. 백제 성왕은 신라로부터 한강유역을 되찾기 위해 554년 신라 관산성을 공격했으나, 오히려 크게 지고 성왕도 전사하였다. 이로써 신라는 진흥왕 때 전성기를 맞이하며 국력을 크게 키웠다.

총괄 이인숙

기획 김기섭, 이경자, 이호창

진행 김기섭, 이경자, 김지미, (사)생활환경디자인연구소

원고·편집 김기섭, 이경자, 이지민

발행인 이인숙

발행일 2013년 2월

발행처 한성백제박물관
138-829 서울특별시 송파구 위례성대로 71

Tel. 02. 2152. 5800

Fax. 02. 2152. 5967

디자인 미디엄

인쇄 예영사